꿈에도 그리던 사랑 미묘한 삶
생각하고 느끼며 필사하기

끔에도 그리던 사랑 미묘한 삶

발 행 | 2023년 11월 23일

저 자 | 이동규(DONG KYU LEE)

펴낸이 | 한건희

펴낸곳 | 주식회사 부크크

출판사등록 | 2014.07.15(제2014-16호)

주 소 | 서울특별시 금천구 가산디지털1로 119 SK트윈타워 A동 305호

전 화 | 1670-8316

이메일 | info@bookk.co.kr

ISBN | 979-11-410-5465-6

www.bookk.co.kr

생각하며 느끼며 필사하기

꿈에도 그리던 사랑 미묘한 삶

이동규 지음

목차

사랑하면 생명을 불어 넣을 수 있어

사랑은 포기가 아니라 격려야

사랑은 힘을 주는 거야

시간이 왜 그리 부족하지

모든 어려움이 닥치더라도

사랑은 주는 것이지 받는게 아니야

사랑아 진심으로 사랑하니 변함 없어

사랑하는 사람에게 민감해야 해

사랑 사랑아 너는 어떠한 맛을 제일 좋아 하니?

사랑아 사랑하니깐 자꾸 짓꽂어진다

사랑아는 또 다시 일어날 수 있는 힘이 있어

사랑하는 사람이 나에게 모든 근원인거 같아

모든 사람들이 변할지라도 변하지 않는가?

모든 고통을 사랑으로 승화 시킨다네

사랑아 너 용광로 아니

사랑은 충전소와 같아

있잖아 사랑은 바라보는 거야

사랑은 치유의 힘이 놀라워

사랑은 닦아주는 거다

사랑은 할 수 없는 걸 할 수 있게 해줘

사랑은 추위를 잊게 해주는거야

2 부

사랑하면 모든 것을 줘도 아깝지가 않아

사랑하면 모든 것을 줘도 아깝지가 않아
사랑 사랑아 듣고 있니?
사랑아 너는 사랑하는 이를 얼마만큼 이해하고 있니
사랑아 너는 상대방 마음에 드는 사람이니
사랑하니깐 못해도 해주고 싶어
사랑아 나는 사랑하니깐 주는건 다 먹게되더라
혹시 사랑아 상처를 줘 본적 있니?
사랑아 사랑은 보이지 않는 것이 아니야
내가 볼 때 사랑은 시간 인 것 같아
자꾸 보고 싶고 한시라도 떨어지고 싶지 않아
사랑 사랑아 너는 못 먹는 음식 없니
사랑은 후회가 아니야
사랑아 사랑 하잖아 언제나 궁금해
사랑에는 조건이 있어서는 안되
정말 사랑 한다면 모든걸 감수해야해

생각하며 느끼며 필사하기

사랑은 누가 알아주기를 원하는게 아니라고 본다
사랑아 사랑은 내가 받기 위한 것이 아니야
사랑을 위해 버릴 것도 있어야 해
당신을 보지 않고도 당신을 아는 것
사랑은 변화의 힘이 있다
사랑은 나의 수고와 노력의 댓가를 바라 보나봐
내 사랑이 불행을 모르게
사랑아 내가 먼저 해야 해
언제나 내 사랑을 위하여
사랑은 어부봐야
사랑아 나 미쳤지
사랑아 내가 아프고 싶어져
너무나 사랑하기에
사랑은 보호자와 같아
사랑은 정말 분주하다
사랑은 나만의 욕심이 아닌것 같아
사랑하니깐 무조건이야
사랑하니깐 충분해
쉴새 없어
시간이 흐르면 외롭기 마련인데

사랑아 사랑은 채워주는 거래
사랑은 싸구려가 아니야
사랑은 용기야
사랑은 감동 그 자체야
사랑은 편안하게 해주는 거야
얼마나 사랑하면 죽을 때도 한날 한시에 죽기도 하더라
사랑은 끝까지 지켜 보는 거래
사랑은 외적인게 중요치 않아
사랑은 챙겨줄수 있어야 한다

3 부

사랑아 사랑하면 심지가 굳어야 해

사랑아 사랑하면 심지가 굳어야 해
사랑아 있잖아 내 말 명심해 절대 비교 하지마
사랑아 잊지 말아 다른 사람 생각에 신경쓰지 말아
사랑아 너는 느끼고 살아 보았어?
너는 무엇을 좋아 하니?
사랑아 너의 사랑은 얼마나 깊니?

너 혹시 아니 사랑의 색깔이 무엇인지?
있잖아 사랑하니깐 언제나 함께 하고 있더라
내 생각엔 완전한 사랑은 없다고 본다
사랑은 선택에 대한 믿음이야

4부
사랑이 깨지지 않도록 조심해

사랑이 깨지지 않도록 조심해
너 이해하니 빈 틈이 있으면 문제가 생긴다
있잖아 사랑이 변하면 정말 무서운거야
니가 나를 사랑 한다면
내 품에 있는 고기라고 방심 하지마
사랑은 언제나 조심히 다루어야 해
사랑아 너는 너의 문제를 인정하니
사랑은 무조건 좋은 것 만이 아니더라
너는 얼마만큼 받아들이니
돈이 행복에 제일 중요하다고 생각하니?
사랑이 문제일까?
사랑은 사람과 함께

사랑은 모든 것을 인정하는 거야
정말로 사랑하니
사랑아 사랑은 하나의 배움이야
사랑은 신뢰와 믿음이야
사랑은 의심하지 않는거야
사랑은 물과 기름이 아니야
사랑은 곁 눈질 하지 않는 거야
사랑은 나쁘게 변하지 않아
사랑은 콩깍지
나의 입맛에 따라 변하는 사랑은 가짜야
사랑은 동정이 아니야
사랑은 집착이 아니야
사랑은 들어와라 해서 들어 오는게 아니다
사랑은 모두가 탐내는 것 같아
사랑은 마치 엉킨 실 타래 같아
사랑은 이렇다 할 말을 할 필요가 없어
사랑은 대화이다
사랑은 애교로 봐주는 거다
사랑은 카운셀링이다
사랑은 저울질이 아니다

생각하며 느끼며 필사하기

이 책을 내다보며

이세상 살아가는 사람들
자기 중심적이고 이기적인 삶을 추구 하는구나

진정한 관계와 사랑을 위하여,
서로가 모든 아픔과 고통을 이기고 지나가면
진정한 사랑의 희열을 맛 볼 수 있건만

인생살이 혼자서는 살 수 없으며,
관계와 교제와 아픔과 사랑을 가지고 살아가네

사랑 할 수가 있고,
관계를 갖을 수도 있고,
이별을 할 수도 있고,
아파 할 수 도 있고,
눈물을 흘릴 수도 있고,
그 가운데서 성장 할 수가 있다는 것을 보여 주는구나

생각하며 느끼며 필사하기

사랑 하더라도 싸움도 생길 수가 있으며,
질투와 다툼과 화냄과 밀어냄과 용서와 사과와
화해의 관계회복이 연속될 수도 있고,
깨질 수도 있더구나

사랑하는 이들이 서로 돌아보며, 위로를 받고, 다시 힘을 얻고 충전이 되어가며, 절망 가운데서 희망을 가지고 아픔과 고통에서부터 벗어나 사랑하는 이들과 함께 새로운 꿈을 실현하는 삶을 행복하게 이루어 나가자구나

남편으로서 아비로서 목사로서 신앙인으로서 글쓰는이로서 나의 사랑의 삶을 다시 돌아보며 주어진 일에 충실 하도록 하심과 지금까지 인도하신 주님께 감사를 드린다

2023년11월18일
서재에서 이동규(Dong Kyu Lee)

사랑의 힘은 무한하다

진정한 사랑을 이루어 가라

-저자-

생각하며 느끼며 필사하기

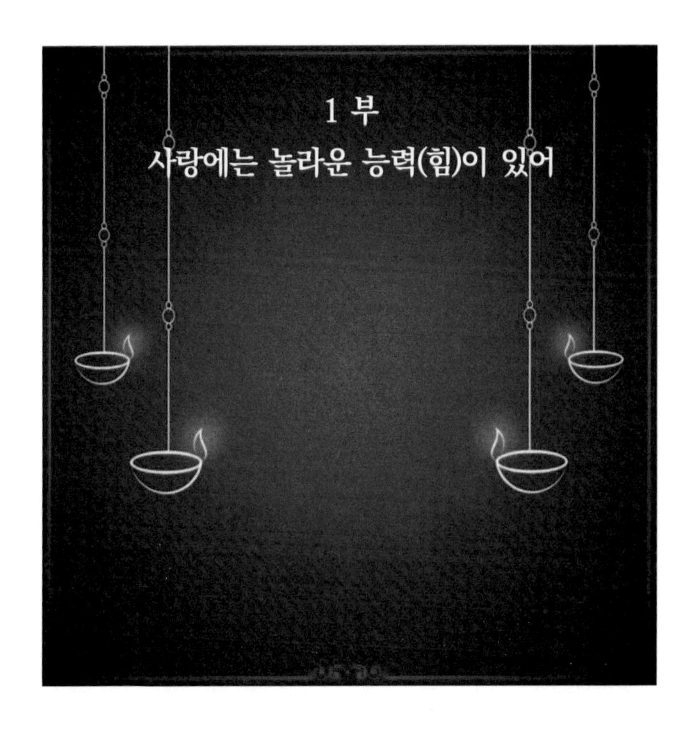
1 부
사랑에는 놀라운 능력(힘)이 있어

사랑에는 놀라운 능력(힘)이 있어

사랑이 아무 것도 아닐까
상처 받은 사람들은 고개를 절래 절래 흔들고
사랑의 맛을 경험한 사람들은
그 사랑의 능력을 믿고 산다네
사랑의 능력은 유한한 것이 아니라
무한한 것을 새삼 깨닫거든

생각하며 느끼며 필사하기

사랑하니깐 느낌이 있네

사랑하니깐 지치고 힘들어 기대고 싶어 할 때

먼저 기댈 수 있는 편안함을 제공하는

마음과 행동이 생기더라

생각하며 느끼며 필사하기

사랑아 나 미쳤지 사랑하니깐 배가 든든하다

너무 너무 사랑하니깐

사랑하는이가 나와 함께 하니깐

그저 바라 보고만 있고

아무것도 먹지 않아도 배가 부르더라

생각하며 느끼며 필사하기

사랑아 너의 자존감은 어떠니

그 사람을 진심으로 사랑하니까

모름지기 넌지시

그 사람의 자존감을 세워주고

높여주게 되더라

생각하며 느끼며 필사하기

사랑은 기적을 일으킨다

있잖아 진정으로 사랑하면

간절한 마음이

멈추었던 심장도 움이게 하는거야

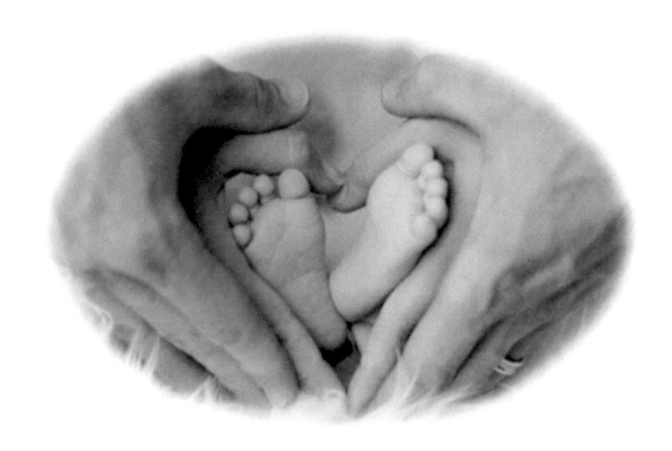

생각하며 느끼며 필사하기

사랑은 예의 범절이 갖추어져야 한다고 생각해

있잖아

사랑하는 사람과 함께하는 시간이 흐르고

더욱 더 가까워지고 관계가 깊어질 수록

아무리 편하더라도

인격적으로 대하며 예의범절을

더 갖추어 대하여야 한다고 생각해

생각하며 느끼며 필사하기

덤빌테면 덤벼봐라

사랑하게 되니까

내 사랑을 지키기 위하여 물불 안가리고

눈에 보이는 것도 없고

무서울게 하나도 없더라

생각하며 느끼며 필사하기

너의 사랑은 얼마짜리니

참된 사랑을 하면 알게 될거야
사랑은 세상적인 금전으로
값어치를 계산 할 수가 없더라
그 이유는 사랑에는
무한한 능력이 숨겨져 있더라

생각하며 느끼며 필사하기

사랑하니깐 무엇이던지

너 경험해 보았니

사랑하니깐

서로의 마음과 생각과 하고 싶은 것들까지도

모든 부분에서 텔레파시가 통한다

생각하며 느끼며 필사하기

그거 알아 베트맨 슈퍼맨

사랑하는 사람이

내가 위험한 일에 처해 있을 때

베트맨과 슈터맨 처럼 짠 나타나서

나를 보호 해주는 거 같아

생각하며 느끼며 필사하기

내가 힘들어도 사랑하니깐

내가 사랑하니깐

내가 약간의 귀찮고 힘든게 있다 하더라도

내 사랑이 행복해 하니깐 나도 행복해 할 수가 있더라

생각하며 느끼며 필사하기

사랑은 나쁜 기억을 잊게 해주는 것 같아

사랑은 어느날 나를 찾아 나의 마음에 파고 들어와

슬프고 외롭고 쓸쓸했던 나에게

기쁨과 행복을 찾아주고

과거의 다른 것들은 잊게 해 주는 것 같아

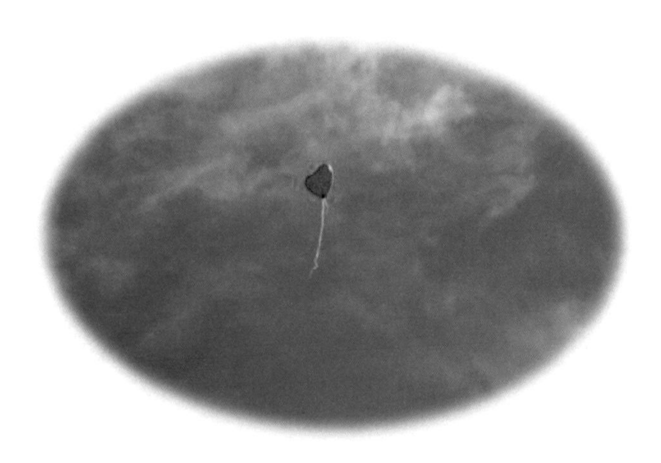

생각하며 느끼며 필사하기

사랑하면 생명을 불어 넣을 수 있어

사랑아 사랑을 하면

그 사랑이 죽어가던

영과 육 그리고 희망과 소망도

불어 넣어줄 수 있는 것 같아

사랑은 포기가 아니라 격려야

사랑하는 너와 내가

아무리 힘들고 어려워도

서로를 위로하고

힘 나도록 격려해주는 것인거 같아

생각하며 느끼며 필사하기

사랑은 힘을 주는 거야

당신이 사랑하는 사람이

실패를 연거퍼 했을찌라도

사랑하는이가 다시금 어떠한 일에 도전하게되면

초를 치는 것이 아니라

다시 할 수 있는 힘과 용기를 북돋아 주는거야

생각하며 느끼며 필사하기

시간이 왜 그리 부족하지

사랑하는 사람이 생기니깐

사랑하고 있는 나에게는

하루 24시간이 너무나 부족해

생각하며 느끼며 필사하기

모든 어려움이 닥치더라도

사랑은 무한한 힘이 있다고 했잖아

정말이다 정말

사랑하는 사람과 함께라면

어떠한 위험이라도 헤쳐 나갈 수가 있더라

생각하며 느끼며 필사하기

사랑은 주는 것이지 받는게 아니야

사랑 한다면

받기만 하려 하는 심보가 아니라

내 모든 것을 주어도

아깝지 않다고 본다.

생각하며 느끼며 필사하기

사랑아 진심으로 사랑하니 변함 없어

아무리 힘들어도 진심으로 사랑하니깐
나의 전부인 그를 아끼고 보살피고
변함 없거나 더 좋아지더라

생각하며 느끼며 필사하기

사랑하는 사람에게 민감해야 해

사랑하는 사람에게 나타난 모습 중에

변화가 된 것이 무엇인지 알고

그것에 대하여 칭찬이나 위로를 아끼지 말아야 하더라

생각하며 느끼며 필사하기

사랑 사랑아 너는 어떠한 맛을 제일 좋아 하니?

사랑아 사랑은

너가 좋아하는 맛만 가진게 아니야

사랑은

아주 다양하고 오묘한 맛들을 지니고 있어

생각하며 느끼며 필사하기

사랑아 사랑하니깐 자꾸 짖꿎어진다

당신을 사랑하기에

만지고 싶고 장난치고 싶고

괜실히 당신에게 짖꿎어지는 것 같아

그런데,

당신을 사랑하기에

배려와 존중의 마음으로 참을 수도 있는 것 같아

생각하며 느끼며 필사하기

사랑아는 또 다시 일어날 수 있는 힘이 있어

우리에게 상처가 있을지라도

그 어떠한 고통이 있다 할지라도

그가 소유한

어느 누구도 빼앗지 못하는 사랑이 있기에

모든 것들이

치유되고 회복되고

또 다시 일어날 수가 있는 것 같아

생각하며 느끼며 필사하기

사랑하는 사람이 나에게 모든 근원인거 같아

내가 살아 갈 수 있는 것은

사랑하는 사람이

나에게 힘이 되어주고

생명의 공급이 되어주기 때문인거 같아

생각하며 느끼며 필사하기

모든 사람들이 변할지라도 변하지 않는가?

세월은 흐른다. 시간도 언제 왔냐는 듯이 지나간다.

대부분의 사람들도 스쳐 지나 가기도 한다.

당연히

사람들의 마음도 물 흐르듯 흘러 갈 수 있고

연인들의 사랑도

싸늘하고 얼음이 되어 사라질 수도 있다.

그러나

진정한 사랑을 지녔다면

사랑하는 사람의 몸과 마음을내 곁에 붙잡아 둘 수가 있다

생각하며 느끼며 필사하기

모든 고통을 사랑으로 승화 시킨다네

나로 인하여

내 사랑하는 이가 아파하지 않토록

내 소중한이가 고통하지 않토록

모든 것을 사랑으로 승화 시키는 것 같아

사랑아 너 용광로 아니

있잖아 내가 사랑해보니까

사랑은 모든 것을

다 녹일 수도 있는 용광로 같아

사랑은 충전소와 같아

사랑은 기력이 방전 되었을 때

언제나 충전 해주는 거야

생각하며 느끼며 필사하기

있잖아 사랑은 바라보는 거야

사랑은 사랑하는 사람이

소망이 없을 때

소망을 불어

넣어주는 거라고 생각해

사랑은 치유의 힘이 놀라워

사랑은 과거의 아픔을 치유해 주고

새롭고도 행복한

사랑을 할 수 있는 힘을 부여 한다

생각하며 느끼며 필사하기

사랑은 닦아주는 거다

사랑은 사랑하는 사람이 걸어 나가는 길이

어렵고 힘든 길일 때

그 길을 평탄케 해주는 거라고 생각한다.

생각하며 느끼며 필사하기

사랑은 할 수 없는 걸 할 수 있게 해줘

용기가 없어서

아므 것도 할 수가 없는데

할 수 있도록

용기를 불어 넣어 주는 것이야

생각하며 느끼며 필사하기

사랑은 추위를 잊게 해주는거야

사랑은 차가운 아이스가 아니라

온기를 제공하는

모락 모락 피오 오르는 김과 같아

2 부

사랑하면 모든 것을 줘도 아깝지가 않아

사랑을 하니까
어떠한 환경도 긍정적으로 받아들이고
넘어가게 되더라

-저자-

사랑하면 모든 것을 줘도 아깝지가 않아

난 참으로 욕심이 많아

그런 나에게 사랑이 들어오고

사랑하는 사람이 생겼어

난 나의 모든 것을 지금 아까움 없이 줄 수가 있어

그를 내 목숨보다 더 귀하게 사랑하거든

사랑 사랑아 듣고 있니?

나 자신이 힘들고 아무리 여유가 없더라도

사랑하는 이를 위하여

한 순간도 망설임 없이 해주게 되더라

생각하며 느끼며 필사하기

사랑아 너는 사랑하는 이를 얼마만큼 이해하고 있니

사랑하게 되니깐

솔직히 이해가 안되는 부분도 있지만

서로가 서로의 상황을 이해하려고 노력하게 되더라

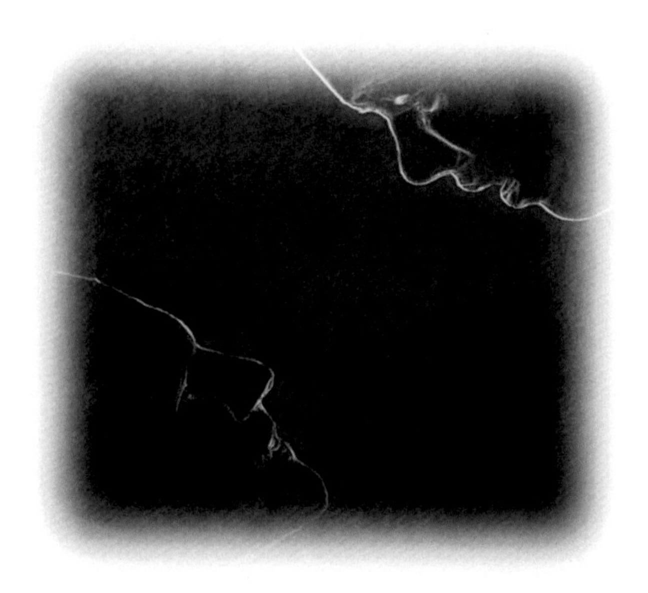

생각하며 느끼며 필사하기

사랑아 너는 상대방 마음에 드는 사람이니

아무리 사랑해도

시일이 지나가니깐 단점이 보이게 마련이더라

그런데

사랑하기에 당신의 마음에 들려고

당신이 원하는대로 모조리 고치려고 노력하게 되더라

생각하며 느끼며 필사하기

사랑하니깐 못해도 해주고 싶어

너무나 사랑하니까

솜씨가 좋지 않아도

정성을 다해

당신을 위해 음식을 만들고 싶어지네

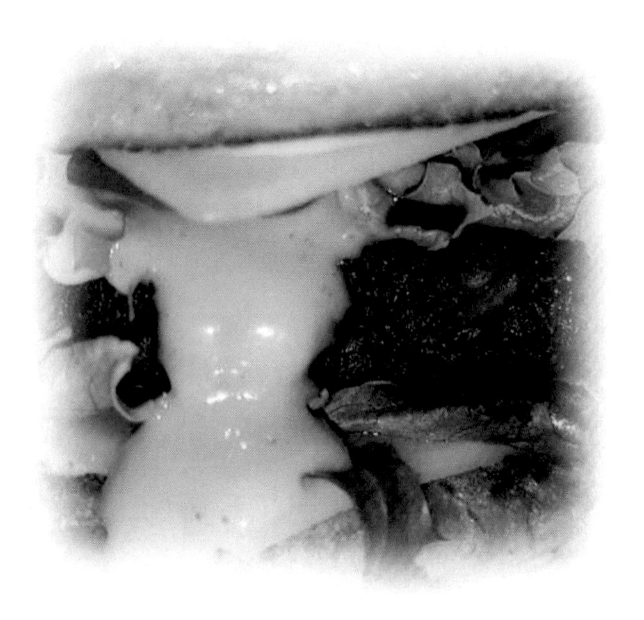

사랑아 나는 사랑하니깐 주는건 다 먹게되더라

아무리 맛 없는 음식이라도

설령 돌이 들어간 음식일찌라도

표정 변치 않고 맛나게 먹어주게 되더라

그 다음엔 내가 만들지만

생각하며 느끼며 필사하기

혹시 사랑아 상처를 줘 본적 있니?

내가 사랑해 보니깐

사랑하는 사람이 너무나 소중해서

나로 인하여 피해를 보지 않고

상처를 받지 않게 하려고 무던히 애를 쓰게 되더라

사랑아 사랑은 보이지 않는 것이 아니야

사랑은

잡을 수 없는 허공을 허우적대는 것이 아니라

나의 마음과 생각을

행동으로 옮기는 것이야

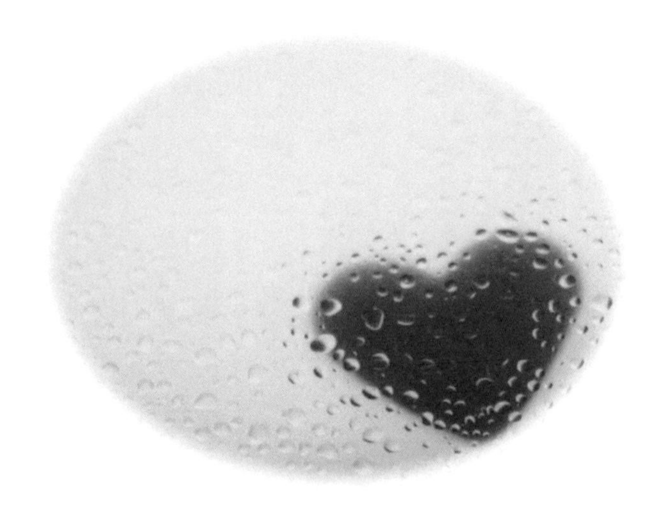

내가 볼 때 사랑은 시간 인 것 같아

내가 아무리 바빠도

사랑하는 당신을 위해

당신을 원한다면

모든 시간을 할애 할 수가 있는 거라네

생각하며 느끼며 필사하기

자꾸 보고 싶고 한시라도 떨어지고 싶지 않아

사랑은 마음의 설레임과 들뜸이며

만나야 할 시간이 닥오지 않아도

먼저 찾아가 머언 발치에서라도

볼 수 있는 행동인거 같아

생각하며 느끼며 필사하기

사랑 사랑아 너는 못 먹는 음식 없니

나는 조금 까다롭거든
그런데 내가 잘 못 먹는 음식이라도
내 사랑이 좋아 하니깐 같이 맛있게 먹어준다
아마 그것이 사랑인가봐
(알러지가 있으면 솔직히 말해서 오해없게 해야겠지)

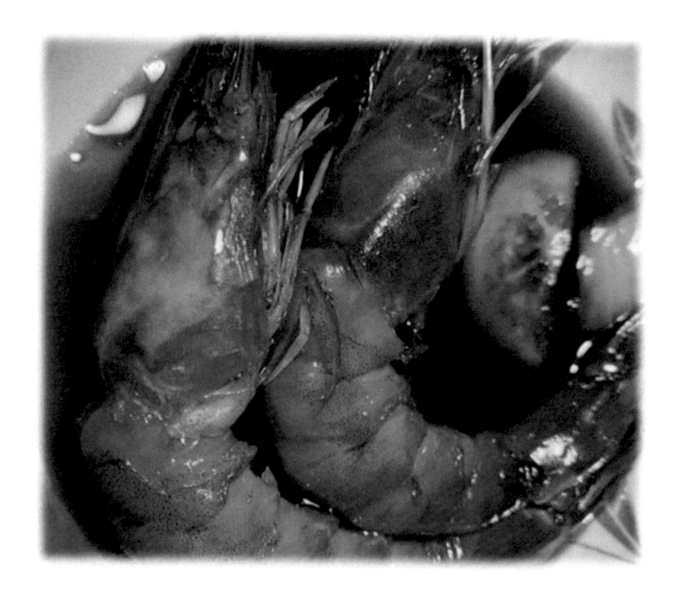

생각하며 느끼며 필사하기

사랑은 후회가 아니야

많은 사람들이 사랑한거에 대하여 후회 하기도 하고
쏟아 부은거에 대해서도 후회를 많이 하더라
그런데 말이야
해달라고 해서 하는게 아니고 내가 하고 싶어서 하는거야
그래서 나중에라도 못해줘서 후회하지 않토록
힘껏 쏟아 붓는 것이라고 생각해

생각하며 느끼며 필사하기

사랑아 사랑 하잖아 언제나 궁금해

사랑하니까

누군가가 모라고 하더라도

내가 먼저

궁금해서 연락을 하게 되더라

생각하며 느끼며 필사하기

사랑에는 조건이 있어서는 안되

사랑안에는 그 어떠한 조건도 없이

무조건 사랑하는 것이야

정말 사랑 한다면 모든걸 감수해야해

사랑한다는게 말로만 해서는 안되

정말 사랑한다면

서로가 희생 해서라도

지켜 나가는 것이라고 생각해

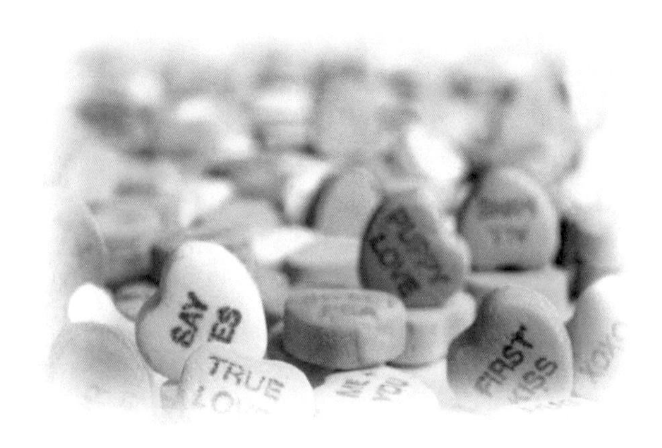

생각하며 느끼며 필사하기

사랑은 누가 알아주기를 원하는게 아니라고 본다

내가 사랑하는데

누군가의 강요가 아닌 스스로가

모든 희생을 감수하고 사랑하고 행동하는 것을

누군가가 알아 주기를 바라는 것은 아니라고 생각해

생각하며 느끼며 필사하기

사랑아 사랑은 내가 받기 위한 것이 아니야

있잖아 사랑한다는 것은

내가 상대방에게 한 만큼

사랑을 돌려 받기 위함이 아니야

그저 그냥

내가 사랑하니까 하고 싶은거야

생각하며 느끼며 필사하기

사랑을 위해 버릴 것도 있어야 해

상대방을 진심으로 사랑한다면

사랑을 얻고 지키기 위하여

자존심도 모든 것을 버릴 줄도 알아야 하는 것 같아

왜냐하면 자존심 때문에 모든걸 잃을 수가 있거든

당신을 보지 않고도 당신을 아는 것

사랑은 당신의 목소리만 들어도
현재 당신의 상황이 어떠 하다는 것을
느끼고 아는 것이라고 생각한다

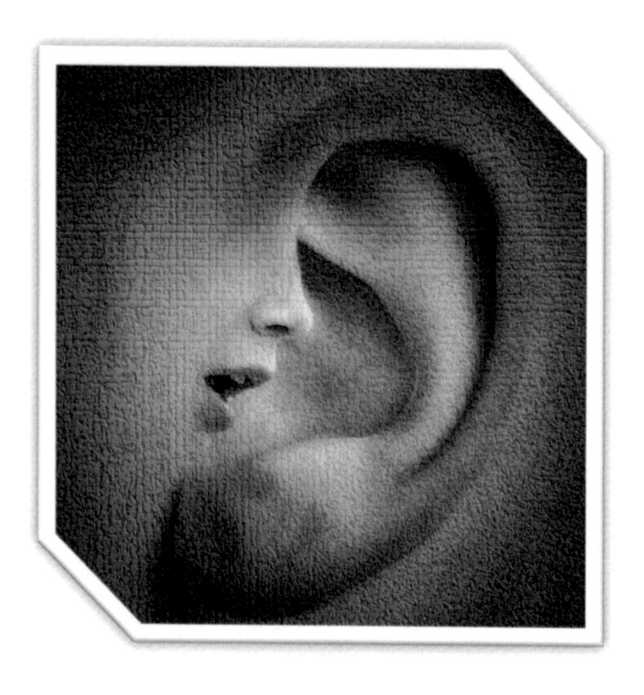

생각하며 느끼며 필사하기

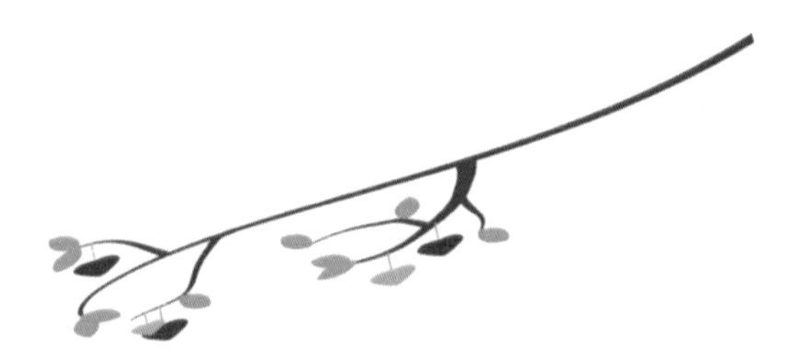

사랑은 변화의 힘이 있다

진정한 사랑을 하면

나를 변화 시키게 되고

상대방을 변화 시킬 수가 있다고 본다

생각하며 느끼며 필사하기

사랑은 나의 수고와 노력의 댓가를 바라 보나봐

사랑을 위해 살아가는 사람들은,

사랑하는 사람들을 위해 살 수 있는 사람들은,

그들의 인생과 그들의 삶과 그들의 노력에는

언제나 사랑이 있기에

소망을 품고 일하고

사랑하는 이들의 기뻐하는 모습을 담는 것 같아

내 사랑이 불행을 모르게

사랑하는 사람이

언제나 불행이나 불편함이 없이

늘 행복하고 편안하게 살게 해주고 싶으네

사랑아 내가 먼저 해야 해

상대방이 실 수를 했을 때

미안해 하게 되거든

그럴 때 일 수록

무안해 하지 않도록

토닥여 주고 위로와 괜찮다는 말과 행동으로

안심을 시켜줘야해

언제나 내 사랑을 위하여

있잖아 나는
내가 사랑하는 당신을 위하여
언제나 살아 가고 싶어

생각하며 느끼며 필사하기

사랑은 어부봐야

사랑하는 사람 둘이 걷다가

당신이 너무 힘들어 할 때

활력소가 되어 주기도 하고

얹고 갈 수도 있는 따뜻한 마음과 행동이야

생각하며 느끼며 필사하기

사랑아 나 미쳤지

죽음은 어느 누구도 못 막잖아

그런데 사랑하게 되니까

사랑하는 사람이 내 생명보다 더 소중한거야

그래서 차라리 내가 대신 죽기를 바라더라

사랑아 내가 아프고 싶어져

내가 사랑하는 내몸인 그 사람이

너무나 아파해가면서 괴로워 할 때

할 수만 있으면 내가 대신 아프고 싶어 기도가 나오더라

생각하며 느끼며 필사하기

너무나 사랑하기에

당신을 너무나 사랑하기에 샘이나서

당신의 매직주기에

아파하며 먹지도 못할 때

나도 똑 같은 상황이 벌어지네

생각하며 느끼며 필사하기

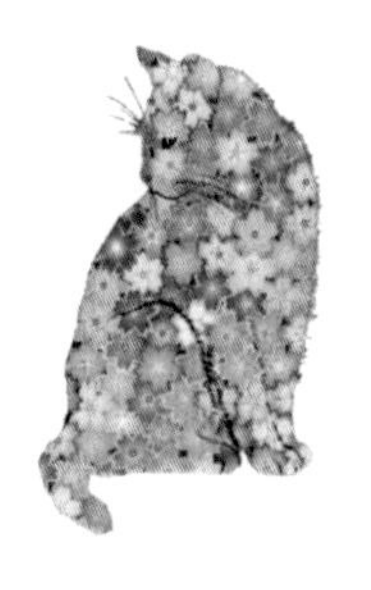

사랑은 보호자와 같아

사랑을 해보니까 알겠더라

사랑은 마치 위험으로 부터

지켜주고 보호해 주는 것 같아

생각하며 느끼며 필사하기

Love

사랑은 정말 분주하다

사랑은 비록 손이 마니가는

당신 일지라도

사랑하며 돌보아 주는 것 같아

생각하며 느끼며 필사하기

사랑은 나만의 욕심이 아닌것 같아

어느 사람들은 사랑하기에

너무나 많은 욕심을 가지더라

그런데 나 같은 경우는

정말 사랑하니까 나 자신이 비워지더라

사랑하니깐 무조건이야

너 그거 아니
사랑하니까 사랑하는 이 앞에서 마냥
어린아이 같이 어리광 피고 철부지 같더라
그런데 그런 모습이 더 귀엽고 사랑스럽더라

생각하며 느끼며 필사하기

사랑하니깐 충분해

진심으로 사랑해봐
아무리 많아도 부족하기 마련인데
나 같은 경우는 가진 것이 없어도
사랑하는 마음과 삶으로 충분히 채워주더라

쉴새 없어

정말로 사랑하니까

그 사람을 믿지만

그 사람에게 무슨일이 생기지나 않을까

언제나 노심초사 하게 되더라

시간이 흐르면 외롭기 마련인데

있잖아 사랑의 시간이 흐르면

너무 소홀히 해서

상대방을 외롭게 만들거든

그런데 당신을 외로움을 모르고

살아가게 해주는 것이 사랑이라고 보고 싶어

생각하며 느끼며 필사하기

사랑아 사랑은 채워주는 거래

있잖아 사랑은

내가 채움 받는 것이 아니라

텅비고 허전한 마음을 꽉 채워주는 거래

생각하며 느끼며 필사하기

Love

사랑은 싸구려가 아니야

너 그거 알지
사라은 엄청 비싼거야
너의 사랑은 싸구려가 아니야
이 세상의 값어치로 비교 할 수도 없는
너에게 단 하나 뿐이 없는 아주 소중하고 귀한거야

생각하며 느끼며 필사하기

사랑은 용기야

사랑이 없으면 모험을 할 수가 없어

모험도 불사하고

같이 물 속도, 불 속도

들어 갈 수 있는 대범함이야

생각하며 느끼며 필사하기

사랑은 감동 그 자체야

사랑하는 사람이 해주는

사소한 것에서 부터

감동을 먹고 어쩔줄 몰라 하는 것

생각하며 느끼며 필사하기

사랑은 편안하게 해주는 거야

있잖아 사랑을 해보니깐

내 님이 오실 길이 불편하고 힘들까봐

오시는 그 날까지 깨끗하게 평탄하게 해놓는거야

얼마나 사랑하면 죽을 때도

한날 한시에 죽기도 하더라

사랑은 그 사람을 등지고 다른대로 가지 않고

같이 늙어 가며

죽을 때까지 떨어지지 않고

함께 있어 주는 것이라고 보고 싶어

생각하며 느끼며 필사하기

사랑은 끝까지 지켜 보는 거래

사랑하기에

그 사람 보다 내가 하루만 더 살아

마지막 가는 길

쓸쓸하거나 외롭지 않게 지켜주고 따라 가는 거 같아

사랑은 외적인게 중요치 않아

사랑에는 국적이나 나이나 학력이나
그 어떠한 외향적인 것이 중요하지 않고
그저 그 사람만을 바라보고 사랑하는 거다
잘못된 사고방식을 바꿔야 하잖아

생각하며 느끼며 필사하기

사랑은 챙겨줄수 있어야 한다

나와 만나는 그 사람이

연속적으로 물건을 놓고 가더라도

무어라 하지 않고 그 물건을 들고 나가서 줄 수 있어야 해

그러한 행동이 사랑이고 관심이야

생각하며 느끼며 필사하기

3 부
사랑아 사랑하면
심지가 굳어야 해

사랑은

내가 먼저 하는 것이지

상대방이 먼저 하기를 바라는 것이 아니다

-저자=

사랑아 사랑하면 심지가 굳어야 해

어느 사람을 사랑하기 전과

사랑 하면서는 분명히 틀린거야

이 사람 저 사람에게 그 냥 헤프게 사랑한다고 하면 안되

마음도 열어 주고 아무나 들어 오라고 하면 안되

너의 마음은

오직 너가 사랑하는 사람에게만 보여야해

그게 바로 진짜 사랑하는 사이야

생각하며 느끼며 필사하기

사랑아 있잖아 내 말 명심해 절대 비교 하지마

모든 사람이 똑 같은 것이 아니야

사람들마다 틀린 모습과 사랑함을 가지고 있어

그러기에 특별히 문제 없으면

미숙 하더라도 있는 것을 받아 줘야지

다른 사람들과 비교하지 말아야 해

생각하며 느끼며 필사하기

사랑아 잊지 말아

다른 사람 생각에 신경쓰지 말아

내가 사랑하는 사람을

다른 사람들이 어떻게 생각하고 보는 것이

중요한 것이 아니라,

내가 그 사람을 사랑하고 있다는 것이 더 중요 하단다.

사랑아 너는 느끼고 살아 보았어?

사랑하는 사람을

나의 모든 부분에 담고 있으며

그 사람의 숨결과 호흡을 느끼고 살아 가는 것 같아

너는 무엇을 좋아 하니?

내가 경험 할때
사랑은 싱그럽기도 하고
숙성미도 넘치기도 하며
노련미도 나타난다.

사랑아 너의 사랑은 얼마나 깊니?

내가 볼 때 사랑은 계절이 바뀌어 잎이 지고, 피고

날이 바뀌어 가고

해가 거듭 할 수록

더 더욱 뿌리가 깊어지고 돈독하게 쌓여가는 것 같아

생각하며 느끼며 필사하기

너 혹시 아니 사랑의 색깔이 무엇인지?

사랑을 해보니까 알겠더라.

검은 색도 안고 빨강색도 아니고

사랑은 무지개와 같이 아름다운 색들을 가질 뿐만 아니라

형용 할 수 없는 다양한 색들을 가지고 있더라

생각하며 느끼며 필사하기

있잖아 사랑하니깐 언제나 함께 하고 있더라

사랑하는 그 사람이

나와 함께 하던, 하지 않던,

그것보다 더 중요한 것은

나의 기억 속에 생생하게 살아 있다는 것이야

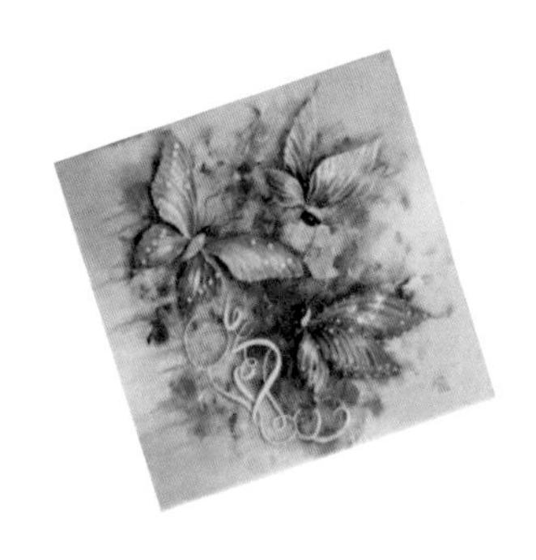

내 생각엔 완전한 사랑은 없다고 본다

우리가 사랑하는 그 사랑은

완전한 사랑이 없기에

해가 거듭 할 수록

완성을 이루어 가는 것 같아

생각하며 느끼며 필사하기

사랑은 선택에 대한 믿음이야

자신이 사랑하고 있다고 믿었다면

그 생각을 의심하지 말고

굳게 믿고 진정한 사랑을 상대방에게 심기워 줘야 한다

4부
사랑이 깨지지 않도록 조심해

덤벙 덤벙라다가는 깨진다
사랑은 마치 살얼음찬과 같다

-저자-

사랑이 깨지지 않도록 조심해

안전한 것은 어디에도 없어

많은 죄들이 우리를 유혹하거든

그러기에 사랑하는 이에게 방심하지마

사랑하는 이를 보호하고

언제나 사랑하고 있음을 보여 줘야 해

언제던지 유혹의 손길이

아무도 모르게 뻗어 들어갈 수가 있거든

항상 조심해

생각하며 느끼며 필사하기

Love

너 이해하니 빈 틈이 있으면 문제가 생긴다

사랑은 삶 속에서

언제나 긴장의 영속성이라고 생각해

긴장이 풀어지면

언제던지 문제가 생기기 때문이야

생각하며 느끼며 필사하기

있잖아 사랑이 변하면 정말 무서운거야

사랑하는 사람이 나의 사람이 되었다고

그 사람에게 소홀하지마라

소홀하게 되면

상처 받고, 사랑이 변하여 저주하고

떠날 수도 있기 때문이야

생각하며 느끼며 필사하기

니가 나를 사랑 한다면

니가 나를 사랑하면 내가 원하는 것을
무엇이던지 해 줄 수 있어야 해
하면서 지속적으로 요구한다
진정 사랑한다면 내가 먼저이다
사랑은 이용이 아님을 알아야해

내 품에 있는 고기라고 방심 하지마

사람들은 생각한다

다잡은 고기

수중에 있는 고기라고 방심한다

고기는 언제던지 방심하면 도망 간다

방심말라

사랑은 무책임과 방심이 아니라 끝까지 책임지는 것이야

생각하며 느끼며 필사하기

사랑은 언제나 조심히 다루어야 해

사랑은 강할 수도 있고

약할 수도 있고

깨지기도 쉬운

유리나 도자기 그릇 일 수도 있기 때문에

조심히 다루어야 해

생각하며 느끼며 필사하기

사랑아 너는 너의 문제를 인정하니

사랑아 사랑하는 사람이 있으니깐

나의 실수나 잘못에 있어서

상대방에게 빨리 인정하고 사과하게 되더라

파산하고 싶니?

생각하며 느끼며 필사하기

사랑은 무조건 좋은 것 만이 아니더라

사랑을 하니깐

희생이 없는 것은 도저히 불가능 하더라

사랑하기에 희생을 하지 않으면

그 사랑을 지속 할 수가 없는 것 같더라

생각하며 느끼며 필사하기

너는 얼마만큼 받아들이니

사랑하는 당신이

나를 사랑하기에 진심어린 마음으로 말해주는

권면이나 조언을

언제던지 받아들이게 되더라

받아 들이지 못하면? 변함없지

생각하며 느끼며 필사하기

돈이 행복에 제일 중요하다고 생각하니?

우리는 사랑하니까

돈도 중요하지만

돈이 없어도

그저 라면 먹고 자판기 커피를 먹어도

신나고 행복 하더라

(오래 지속되면 아마 힘들겠지?)

생각하며 느끼며 필사하기

사랑이 문제일까?

사람이 문제이지 사랑이 문제인가

있잖아

사랑은 거짓말을 하거나

어떠한 액션도 취하지 않는 것이지

생각하며 느끼며 필사하기

LOVE

사랑은 사람과 함께

사랑은 변함도 없고

언제나 그자리에 있다

다만 사람을 따라 움직이더라

잘못 움직이면?

생각하며 느끼며 필사하기

사랑은 모든 것을 인정하는 거야

사랑하는 당신에게
변명이나 핑계를 대는 것이 아니라
있는 그대로를 인정하는 것이야
인정하지 못하면 어떻게 될까?

JUST
MARRIED

정말로 사랑하니

정말로 그 사람을 사랑하면

사랑하는 사람이

싫어하는 것은 하지 말아야 하는거야

싫어 하는 짓 하면 어떻게 될까?

생각하며 느끼며 필사하기

사랑아 사랑은 하나의 배움이야

사랑하는 사람이 서로를 이해하기 위하여

내가 사랑하는 사람에 대하여

알아가는 것이고, 배워가는 것이야

그렇지 않으면 독불 장군이고 속터져한다.

LOVE

사랑은 신뢰와 믿음이야

다른 사람들이

나를 욕하고 떠날 지언정

당신 만큼은

나를 믿고 신뢰하고 함께 하는거야

없으면 문제가 터지는 거야

사랑은 의심하지 않는거야

사랑아 사랑한다면서 의심을 하면

그 사랑은 깨져가는 거야

너의 사랑을 지키려면 계속 의심하면 안된단다

생각하며 느끼며 필사하기

사랑은 물과 기름이 아니야

사랑은 사랑하는 남여가

물과 기름처럼 언제나 따로 노는 것이 아니라

그윽한 커피와 같이

여러가지가 섞여서

맛을 내는거와 같다고 생각해

생각하며 느끼며 필사하기

사랑은 곁 눈질 하지 않는 거야

사랑은 좌로나 우로나 치우치지 않고

하나의 방향을

같이 쳐다보고 나아가는 것 같아

곁 눈질하면 어떻게 되는데?

사랑은 나쁘게 변하지 않아

어제나 오늘이나 내일이나

평생 변함 없이 한결 같은게

진짜 사랑이 아닐까 생각이 들어

사람이 간사한거지 조심하고 또 확인해야해

생각하며 느끼며 필사하기

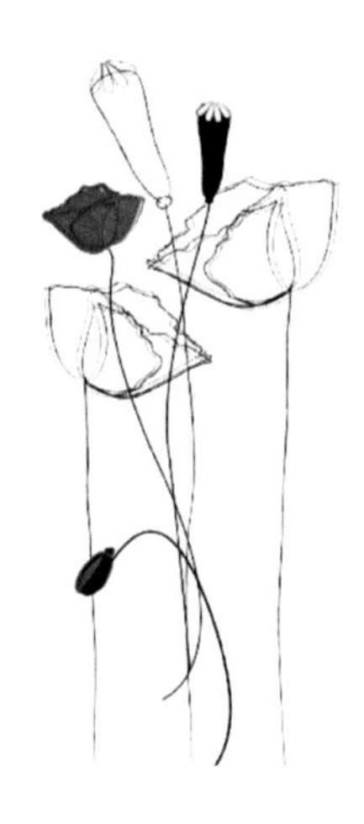

사랑은 콩깍지

사랑의 콩깍지로 미쳐서 결혼을 한 후에
콩깍지가 벗겨져도 실낭이나 후회 하지 않고
언제나 같은 사랑을 이루어 나가는 것이라고 봐
후회하고 원망하면 끝나는 거지

생각하며 느끼며 필사하기

나의 입맛에 따라 변하는 사랑은 가짜야

입맛이 변했다고 음식이 맛 없는게 아니야

달콤한 맛이 사라지고

커피와 같이 쓸지라도

변치 않고 사랑할 수 있어야 참 사랑이라고 생각해

생각하며 느끼며 필사하기

사랑은 동정이 아니야

사랑과 동정을 착각하지 말아

사랑은 동정심이 아니라

애틋하고 진정어린 사랑을 하는 거라고 생각해

동정이 사랑이라고 착각하면 큰문제 일어 나겠지

생각하며 느끼며 필사하기

사랑은 집착이 아니야

집착은 심각한 병이야

너가 집착하는 것을 사랑이라고 착각 하지마

집착과 사랑은 분명히 틀리거든

집착은 소유하려고 하기에 문제가 생기기 일쑤야

생각하며 느끼며 필사하기

사랑은 들어와라 해서 들어 오는게 아니다.

사랑은 나도 모르게 어느날 갑자기 살포시

내 마음에 들어와 자리 잡는 것이다

내가 조종한다고 최면 걸지마

생각하며 느끼며 필사하기

사랑은 모두가 탐내는 것 같아

마치 사랑은

사람들이 들의 풀들과 꽃들을 보고

아름답다고 하고 향기롭다고 하며

탐내는 것 같은 모습을 취한거 같아

생각하며 느끼며 필사하기

사랑은 마치 엉킨 실 타래 같아

사랑아 너 실 타래 아니
실 타래 같이 엉켜 있는 삶일 지라도
행복을 위하여
사랑으로 같이 풀어 나가는 거라고 생각해
풀지 못하면 언제나 싸움

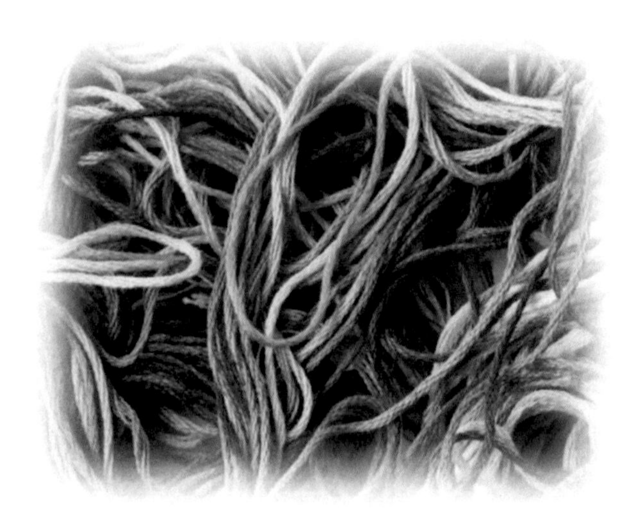

사랑은 이렇다 할 말을 할 필요가 없어

사랑 한다고 말하면서

상대방에게 이런 핑계 저런 핑계를 대면서

변명을 하지 않는 거야

한마디로 솔직해 지는거야

솔직하지 못하고 변명만 늘어 놓으면 어떻게 될까?

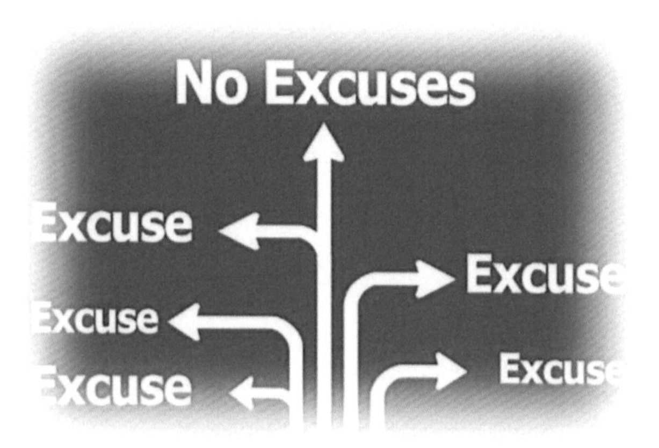

생각하며 느끼며 필사하기

사랑은 대화이다

상대방의 말을 집중해서

들어 줄 수 있어야 한다

건성 건성 허면 무시 당하는 기분이고

정 떨어져 마음이 닫히게 될 것이다

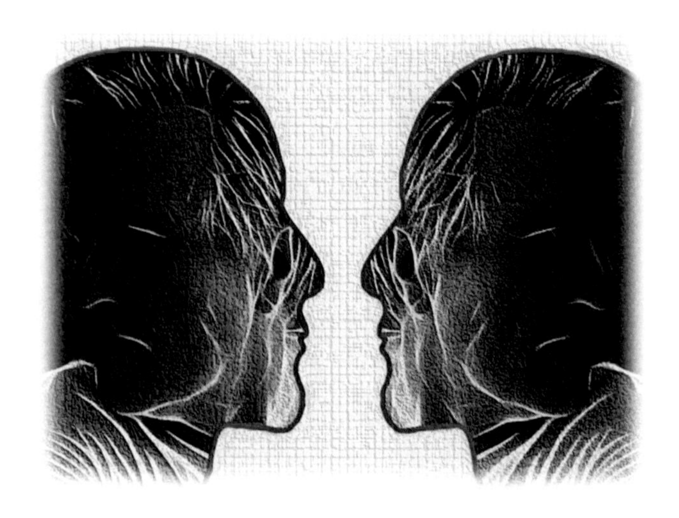

생각하며 느끼며 필사하기

Love

사랑은 애교로 봐주는 거다

내 사랑을 게임으로 확인하라

연인과 함께하라

게임을 통하여 나를 사랑하는지 확인 할 수가 있다

특히 먹는 거 사주기나 군밤 주기나 손목 때리기 게임이면

더 확실하게 나타난다

어떠한 사람은 지는게 싫어서 악착같이 이기려고 두눈이 시

뻘게 지기도 한다

생각하며 느끼며 필사하기

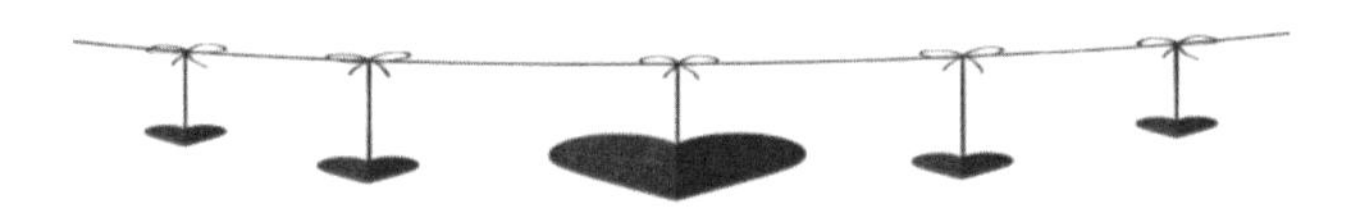

사랑은 카운셀링이다

사랑하는 사람이 과거의 아픔을

믿고 내어 놓을 때

묵묵히 듣고 사랑으로 위로와 치유를 해 줄 수 있어야 한다

(나중에라도 절대 악용하지마라)

생각하며 느끼며 필사하기

사랑은 저울질이 아니다

사랑은 저울질이 아니다

좋고 나쁨과 너 잘났다 내가 잘났다

똑똑하다 똑똑하지 못하다

물질과 해줌의 저울질이 생기면

싸움과 다툼으로 인하여 배가 난파되는 것과 같다

생각하며 느끼며 필사하기

사랑의 방법

사랑은 내가 좋다고
내가 원하는 방식대로하는 것이 아니라
상대방이 원하는 방식으로 할줄 알아야해

생각하며 느끼며 필사하기

작가의 말

꿈에도 그리던 사랑 미묘한 삶이로다

사랑 받지 못하였기에

사랑 할 수 없었다

잘못이 없는데도 두들겨 맞고

온갖 욕을 쳐먹기 일쑤였다

내가 하고 싶은건

한번도 하지 못했었다

아무리 잘해도

칭찬 한번 듣지 못했다

어려서 부터 아파서

죽고 싶은 마음이 간절 했다

생각하며 느끼며 필사하기

이세상 살아가는이
차라리 죽기를 무수히 갈구 했었다
그러던 나에게 사랑이 들어오고
그 사랑이 싹트고 자라기 시작했다

나 자신이 사랑을 받지 못한 고통이 있었지만
어떻게 사랑해야 할지도 몰랐다

그러던 내가 나를 사랑하게 되고
다른 사람들에게 사랑을 나눠 주고
사랑하고 살아 가고 있다

그 경험했던 사랑
지금도 함께하는 사랑을 짧게 긁적여 보고 았다

이글의 주인공은 나로 부터 읽는 여러분들이다

저자 소개

저자 이동규(dong kyu lee)는 한국에서 칼빈대와 총신대 신대원을 졸업하고 1995년도에 미국으로 유학하여 미국 리버티신학대학(신학석사- 기독교교육전공)과 아주사퍼시픽대학(기독교교육학 석사)을 거쳐 풀러신학교에서 2014년도에 "Strategy for Whole-Person Christian Education through the Family"제목으로 목회학 박사 학위를 취득하였다.

LIFE UNIVERSITY 기독교교육 교수를 역임을 하였으며, THE WORLD CHRISTIAN UNIVERSITY에서 주일학교 교육, 기독교교육, 은사개발론, 구약개론, 중고등학생 교육 교수 역임, Chongshin University Theological Seminaey 총장역임(미국), 현 Pacific Coast University 총장 및 기독교교수, 수많은 교회와 개별적으로 부모교육 세미나와 교사교육세미나를 인도하였고, 수많은 사람들과 상담을 진행하였다. 한국기독일보 칼럼리스트의 경험과 아울러 미국의 시니어유에스에의 칼럼리스트로 활동하였으며,

Anchor Korean Church 담임목사로 사역

재미수필문인협회에서 수필 신인상을 받았으며,

뉴욕문학에서 시조 신인상을 받고,

미주크리스챤문인협회에서 시 신인상을 받았다.

한미 크리스챤 문인협회에서 시 평론가 대상 수상하였다.

현 디카시인 협회와 한미 크리스챤 디카시인협회 회장(미국)

현 브런치의 작가로 활동

저술 서적으로는

2015년11월에 도서출판 밀알서원의 "전인적 기독교교육"이라는 책을 출판하였다.

2023년 7월 부크크에서 “시인과 AI의 만남” 전자도서와 종이도서 출판

2023 7월 부크크에서 “기억속의 삶이 미래를 꿈꾸는 행복이였으면 얼마나 좋았을까 (전자도서, 흑백종이도서) 출판

2023 7월 부크크에서 “기억속의 삶이 미래를 꿈꾸는 행복이였으면 얼마나 좋았을까 (전자도서, 칼라종이도서) 출

생각하며 느끼며 필사하기

판

2023년 7월 “나도 자유로와지고 행복해질수 있다(성중독과

성도착증)” 부크크에서 출판

2023년 8월 “하나님께 소명과 사명을 받으셨습니까?” 부크

크에서 출판

2023년8월 “그분이 아직은 오지 말라 하시네요” 부크크 출

판

2023년8월 “당신이 나와 함께 하시기에 지금도 살아가고

있나이다” 부크크출판

2023년10월 “사랑이가 꿈의 날개를 활짝 폈어요” 부크크출

판

사랑의 힘은 무한하다

진정한 사랑을 이루어 가라

-저자-

생각하며 느끼며 필사하기